朱新娜 — 著 × 艾禹 — 绘

快闪开，车来了

只能小声聊的爆笑人类生活史

天津出版传媒集团
新蕾出版社

图书在版编目(CIP)数据

快闪开，车来了 / 朱新娜著；艾禹绘. -- 天津：新蕾出版社，2022.3
（爆笑人类生活史）
ISBN 978-7-5307-7148-8

Ⅰ. ①快… Ⅱ. ①朱… ②艾… Ⅲ. ①科学知识-儿童读物 Ⅳ. ① Z228.1

中国版本图书馆 CIP 数据核字 (2021) 第 172919 号

书　　名：快闪开，车来了　KUAI SHANKAI, CHE LAI LE
出版发行：天津出版传媒集团
　　　　　新蕾出版社
http://www. newbuds.com.cn
地　　址：天津市和平区西康路35号（300051）
出 版 人：马玉秀
电　　话：总编办（022）23332422
　　　　　发行部（022）23332679　23332362
传　　真：（022）23332422
经　　销：全国新华书店
印　　刷：天津新华印务有限公司
开　　本：787mm × 1092mm　1/24
字　　数：42千字
印　　张：5
版　　次：2022年3月第1版　2022年3月第1次印刷
定　　价：25.00元

科学的事，咱可以大声聊

史　军

在大人的世界里，有很多聊天儿的禁忌。比如说：不能谈论疾病和死亡等不吉利的事情，不能谈论屎尿这样不卫生的事情，不能谈论打嗝儿放屁这些让人尴尬的事情。大人认为，谈论这些事情一点儿都不文明，一点儿都不礼貌，会让聊天儿的气氛冷到冰点。

人类的祖先可没少干让人尴尬的不礼貌的事情。

英国女王曾经以黑乎乎的蛀牙为美，那是在炫耀吃糖多的优越感；古罗马人在如厕之后，用一块海绵来擦屁屁，而且这块海绵是公用的；理发师会把盛放病人血液的小碗摆在窗口，作为招揽生意的广告……

“爆笑人类生活史”系列桥梁书就是让大家在愉快阅读的同时，重新认识各种尴尬的人类生活趣事。

这每一件在今天看来都很傻的事，在当年都是充满智慧的行为。

在人类胎儿发育的过程中，不同生长阶段分别展现了鱼类、两栖动物、爬行动物的特征，这种现象叫生物重演律。其实，人类行为的后天塑造过程何尝不是如此。每个人在成长过程中都要学习不同的礼仪和规范，直到逐渐成为遵守规则的社会人。

生活中，很多行为都是被强制学习的，比如吃饭不能吧嗒嘴，一定要刷牙漱口，勤剪指甲勤洗澡……一点儿都不友好。

误会、恐惧和烦恼，大多来自对事情真相的误读和曲解。

来翻翻“爆笑人类生活史”。

了解历史，是为了展望未来。

了解他人，是为了理解自己。

了解个性，是为了让彼此更好地相处。

不要觉得尴尬，不要觉得难为情，让我们在阅读中完成自己的成长，也带爸爸妈妈一起回忆逐渐模糊的童年趣事。

科学的事，本来就很自然；科学的事，本来就很可爱。敞开心扉，打开思维，咱们可以大声聊！

目录

慢行时代

安全第一

马力全开

慢行时代

古代也有导航和里程表?

哎呀,终于打到出租车了,真不容易!

上了车,司机师傅先是询问乘客的目的地,然后打开导航,随手关上了空车灯,一连串娴熟的动作之后,车子起步前行,里程表亮起了红色的数字。

大家对这一幕一定不会陌生。那么在古代,想要去一个地方的话,要怎么导航和计算里程呢?

答案当然是用指南车和记里鼓车啦!

在 5 000 多年前,华夏大地上崛起了黄帝与蚩尤两个部落,他们连年征战,大大小小的交锋有几十次。有

一次，蚩尤眼看就要战败了，于是他请来了风伯雨师，呼风唤雨。为了应对，黄帝也请来了一位叫作魃（bá）的女神，据说，她的长相凶恶，所到之处连年大旱。这一回，魃刚刚制止了风雨，蚩尤又设法降下大雾。一时间雾锁烟迷，黄帝的军队迷失了方向，无法前行。

黄帝十分着急，于是召集大臣们商讨对策，应龙、常先、大鸿、力牧都来了，唯独不见大臣风后。原来，这家伙竟然藏在战车上呼呼大睡。这可把黄帝气坏了，风后却不紧不慢地解释说，自己并不是在偷懒，只是在一边睡觉，一边思考。他说："既然天上的北斗星，斗转而柄不转，那么依照这个原理，制造一辆会指引方向的车，士兵们就不会迷失方向了。"黄帝一听，觉得很有道理，于是，气消了大半，还让风后组织"技术人员"研发、制造出了一辆指南车。

造好的车上立着一个向前伸出手臂的木制小人儿，无论车走多远，转向何方，木制小人儿的手臂总是指向南方。这回，不管遇上什么天气，士兵们只要一看车上的小人儿，就知道方向了！

这个流传很广的故事，应该只是一个传说。

不过，故事里提到的指南车确实存在，从东汉到两宋年间的史书对它都有记载。它不像指南针那样依靠地磁指示方向，而是靠齿轮。当车子转向时，两侧轮子的速度就会产生差别，在两轮之间安装差动齿轮，转速差别就会驱动小人儿转向。经过一番调试后，无论车子如何转向，小人儿的手臂都指向同一个方向。现代汽车在转弯时，外侧轮子走的路要比内侧轮子多，所以，也

喂！天太黑了，我们往什么方向走呀？

往前走,没事，大胆地往前走。

会安装同样原理的装置。

据研究人员推测，最早发明这种车的人可能是东汉时期的张衡。听到这个名字,你会不会觉得有点儿耳熟?没错，就是发明了地动仪，制作了浑天仪的张衡。但遗憾的是,张衡造车的方法,在东汉末年的战乱中失传了。

一百多年后，三国时期魏国的一位著名工程师——马钧复原了指南车。马钧从小家境贫寒，性格内向，但却有着“天下之名巧”的美誉,曾担任给事中一职。当时，魏国有两位将军，一位是散骑常侍高堂隆，还有一位是骁骑将军秦朗。他俩都认为，天下不可能有指南车这样“神奇的存在”,但是,马钧却觉得指南车没那么稀奇，与其争来争去，不如动手做出一辆给大家瞧瞧。于是，当时的魏明帝，也就是曹操的孙子曹叡命马钧造车，马

钧不负使命，果真造出了指南车。

至于记里鼓车，也就是古代专门用来“计程”的车，它的故事没有指南车那么曲折。记里鼓车的车体内部装有一套大小不同的齿轮，始终与车轮同时转动，当车轮走满一里时，有一个齿轮刚好转一圈，并带动车上的木人儿击鼓一次。当今很多博物馆中记里鼓车的模型，都是博物学家和科技史学家王振铎先生根据《宋史·舆服志》的记载和东汉孝堂山画像石中的鼓车形象复制的。

古代天子出行时，指南车和记里鼓车常常被安排在象征威武皇权的仪仗车队的最前列，装饰豪华富丽、并驾齐行。在此仪仗车队之后，便是浩浩荡荡的皇家车马。

客官,您去什么地方?
往前走,大概10里。
10里到了,下车。
当
咦,好像不是这里。
哎呀,我还没到站,我要投诉你们!
快下车,给钱!你想赖账吗?

小朋友，如果你想亲眼看一看这两种设计精巧的“古代机器人”，可以到中国科技馆走一走，那里就有复原的指南车和记里鼓车。

什么是里程碑？

“咦，妈妈，你在看什么？”

“我在看你的成长纪念相册呀。你看，这里记录了你从小到大每个重要的时刻！这张是你刚刚会走路的时候，这张是你刚刚会说话的时候，这张是你上幼儿园的第一天……可以说，这些时刻都是你人生中的‘里程碑’。”

“妈妈，什么是里程碑呀？”

“我所说的里程碑，是指你人生中有重大意义或非常值得纪念的事。”

“里程碑”这个词，在我们的生活中经常用到。它比

喻在历史发展过程中可以作为标志的大事。比如，我国航天员杨利伟乘神舟五号飞船首次进入太空这件事，就是我国航天事业发展过程中的里程碑。

那么，你知道“里程碑”这个词是怎么来的吗？这还要从古罗马说起。

古罗马了不起的工程师们，发明了一种令人难以置信的建筑材料——混凝土，它由石头、沙砾、石灰混合而成。古罗马人用混凝土建造了万神殿的圆顶，那是世界上最大的单跨度圆顶；还用混凝土建造了斗兽场、公共浴场、港口等建筑设施。当然，古罗马工程师最伟大的功绩还是修筑了罗马的道路。

那时候，首都罗马是国家的中心，军队每征服一个新城市，就修建一条从这个城市通往罗马的道路，有句俗语叫“条条大道通罗马”，就是这么来的。有趣的是，这些道路并不是因地形而建，更不是在之前存在的小路上扩建的。它们看起来笔直笔直的，可见，罗马的道路工程师非常自信，他们按照实际的需求来设计和修建道路，不受原本地形地物的限制。

不仅如此，罗马大道也十分结实，如果剖开看，道路从下到上一共有四层：最下面一层是沙砾；倒数第二层是混凝土；倒数第三层是用人工打碎的小石块铺设成的略微拱起的弓形面；最上面一层，也就是路的表面，由经过人工切割、大小相近、切面整齐的大石块，紧密无间地铺设而成。

古罗马的工程师之间流传着一句话：“岩石是朋友，水是敌人。”因此，罗马大道的两侧都有排水沟，而且，

路面是向上微微拱起的，雨水与融化的雪水都能自然地流向道路两侧，顺着排水沟里的排水孔流到道路之外。这样的结构可以避免路面积水，使道路能够拥有更长久的寿命。

你可能想象不到，在汽车出现之前，罗马大道一直都可以使用。汽车被发明出来后，因为汽车车身比马车的要宽，所以，筑路工人将罗马大道拓宽，铺上沥青，继续把它们用作路基。在古罗马，光是法定必须全线铺设石板的大道便有 300 多条，全长达 8 万千米，相当于北京到广州距离的 40 倍呢。

我们一开始提到的里程碑，是一个个圆柱形的石柱，一个成年人刚好可以环抱，个头儿也差不多有成年人那么高，它们就是出现在罗马大道上的路标。根据古

距离城堡还有
一步之遥

喂! 什么人?

罗马人筑路的习惯，所有的罗马大道，每隔一罗马里（1 480 米，相当于在学校操场上跑三圈多），就要在路边立一块碑，碑上会有编号，也就是从大道起点开始数，这是第几座里程碑。假设你走到了阿皮亚大道的 10 号里程碑前，通过简单的计算，就可以知道自己已经离罗马不到 10 000 步远了。

罗马时代的“里程碑”上面，还刻有最近城镇的距离等资料，可以给游客提供各种信息。有人问路的话，你也可以用里程碑的号码来建议他怎么走，比如，如果你在罗马有幢别墅，你可以告诉朋友：“我家在阿皮亚大道的 5 号里程碑附近，到那里就能找到了。”

小朋友们，下次再听到“里程碑”这个词的时候，你就可以给大家讲讲关于它的故事了！

郑和下西洋

“妈妈，北极星是世界上最亮的星星吗？”

“不是，它的亮度也就能排到前 50 名吧，不过北极星很有名。”

“为什么呢？”

“因为它是离北极最近的一颗恒星。在古代，人们出海，到了晚上就是靠它来导航的，就连郑和下西洋，也会利用北极星来导航。”

“妈妈，郑和是谁？下西洋又是怎么回事呢？”

郑和是明代的一位航海家，他曾经率领船队去过

北极星

很多个国家，最远还到达过非洲。

他小时候过得很苦，11 岁就因为战乱被俘，被送去当时的燕王府，成了一名宦官。不过，燕王朱棣很信任郑和，让他读书识字。后来，郑和成了一个学识非常渊博的人，上通天文，下知地理。燕王当了皇帝之后，为了加强和其他国家之间的交流，便派郑和出航，去西洋各国访问。

第一次出航，郑和带了两万七千多人，船只两百多艘，到现在还没有人能够破他的纪录。

要带这样一支庞大的队伍出海，在那个科技还不发达的时代，可不是件容易的事。比如，如何为海船导航？我们在陆地上行走，可以依靠路标和建筑物来判断方向，但是在茫茫无际的大海之上，该如何辨别方

向呢？那时候也没有卫星导航，郑和只能依靠一张不准确的海图和一些简单的导航工具来判断自己的位置。

再比如说，船与船之间怎么互相传话呢？怎么维持队形呢？那时候可没有电话。聪明的郑和和船员们想出的办法是：白天用旗语，他们事先制定一些挥动旗子的规则，比如，向上挥动代表某个意思，对面船上的人看到了，就执行命令；晚上用灯笼；天气恶劣的时候用铜锣。

郑和的船队有完整编制，包含水船、粮船、马船、战船等，船上大概有几十种职业的工作人员，有医生、翻译官，还有外交人员，甚至连拜海神妈祖都有专门的人员。

我们刚才说到粮船，郑和的船队带了大量的黄豆和

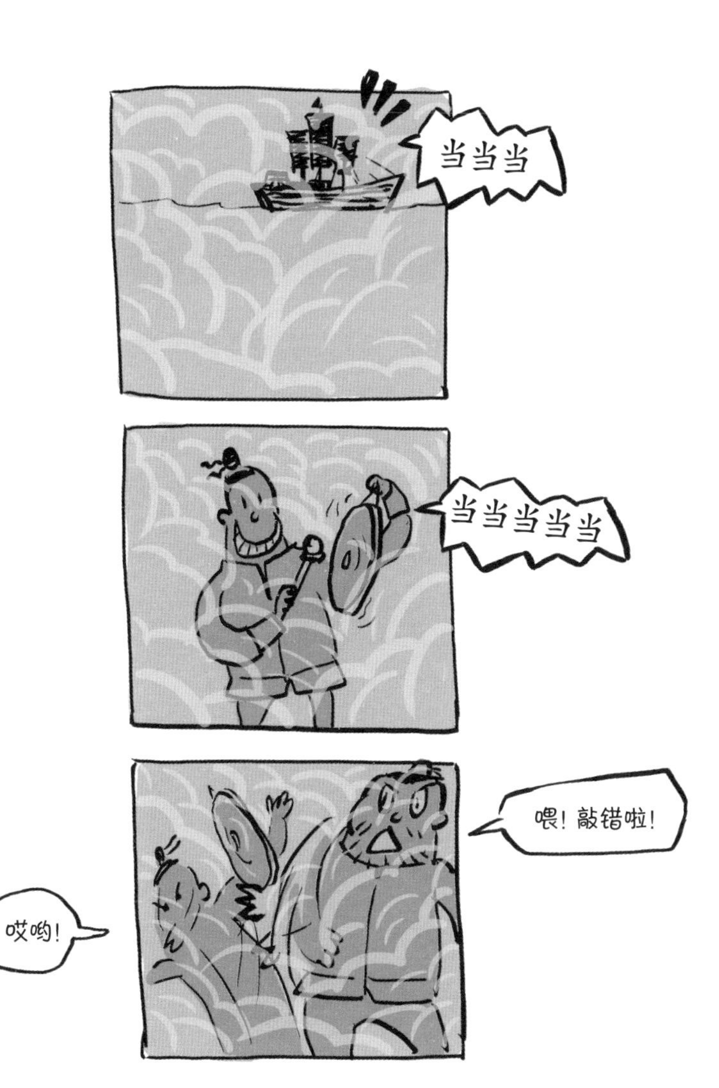
当当当
当当当当当
喂！敲错啦！
哎哟！

绿豆，可以用来做豆腐、豆浆；泡发了之后，就是豆芽，这样就可以缓解出海时蔬菜缺乏的问题。此外，郑和走的航线主要在热带海洋。船队沿着海岸线前行，附近都是东南亚的热带国家，一年四季都有瓜果蔬菜，补给比较容易。所以，郑和的船队可能没有遇到坏血病的困扰，不过，因为郑和下西洋的文献大多被销毁，所以这个说法也充满了争议。古代的航船只能依靠人力或者风力航行，所以郑和要等到冬季，东北季风到了的时候再出海，这样的话，季风就会一路把他“送到”印度洋。

郑和一共七次下西洋，到过最远的地方是非洲，在那里他拜访了许多国家，有今天的索马里、莫桑比克、肯尼亚等，这也是古代中国人到达过的最远的地方。郑和从非洲带回了很多奇珍异兽，有长颈鹿、斑马、鸵鸟等。

长颈鹿长得和汉代画像里的麒麟有点儿像，所以，古人把长颈鹿叫作麒麟。麒麟显圣在中国是祥瑞之兆，当时的人们都认为，只有皇帝是个明君，瑞兽才会出现。郑和把这些异兽带回来的时候,宫廷举办了盛大的宴会，每人都得吟诗作对，为皇帝歌功颂德。

不过，后来所有船只都被销毁了。据说，明代的大臣觉得郑和下西洋劳民伤财，浪费了国库太多的钱财，非常反对这种做法，他们为了避免皇帝进行第八次远航，就烧毁了所有的航海日志，甚至连其他的文字记录也销毁了。这就导致郑和船队的技术细节和确切的考古证据非常少。直到郑和去世约 200 年以后，现存描述郑和下西洋唯一的图籍《郑和航海图》才出现在明代军事著作《武备志》中。所以，关于郑和船队的研究工作很难开展。

每一张地图都是错的？

“这个周末想去哪儿呢？游乐园，博物馆，还是……野生动物园？”

爸爸一边问你，一边掏出手机，打开地图……

每当看到地图，你是否会产生一个疑问：地球不是一个球体吗？它是怎么被平铺在一张地图上的呢？就好比你剥完一个橘子，不管怎么试，都无法在不撕、不压、不拉抻的情况下把橘子皮铺平。

其实，这个“橘皮问题”就是地理学家们最常用的一个类比，用来解释为什么三维世界不能在没有任何扭曲的情况下变成二维平面。我们假想一下：把地球的表面像剥橘子一样，撕开、按压、拉抻成一个平面，是不是会令原本地球上物体的形状、距离、方向发生改变？换句话说，世界上的每张地图都是从“谎言”开始的。

可是，我们总不能每次出门都背个地球仪吧！所以，尽管地图在“说谎”，但我们还是离不开它。而且，好的地图会使用正确的投影方式，来保证角度、方向、距离中的某个要素不失真。

就拿世界上最有名的墨卡托投影来说，你们教室墙上挂的世界地图，很可能就是一幅墨卡托投影地图。这张地图会告诉你格陵兰岛和非洲一样大，斯堪的纳维亚半岛比印度半岛大……但事实上，非洲的面积几乎是格陵兰岛的 14 倍，而印度半岛的面积实际上是斯堪

的纳维亚半岛的2.8倍。

然而，就是这样一张有“严重错误”的地图，却在全世界范围内流行了400多年……这究竟是怎么回事呢？

发明墨卡托投影的人，是16世纪的地图学家杰拉杜斯·墨卡托，他1512年出生于现在位于比利时的佛兰德，后来移居莱茵河畔的杜伊斯堡。

1546年，墨卡托在写给朋友的信中提到：他发现所有的航海图都无法让人到达原本的目的地。同样一趟海上航程，在不同船队的航海日志里，常常记录着迥然不同的纬度，也就是说，当时的世界地图完全是在误导航海船队。

此前的制图师都追求地图上大洲大洋的形状和比

地图上这个岛明明很大呀。怎么还没有我们的船大？什么破地图！

例与真实情况完全符合，当然，如果你坐在房间里，通过这样一张地图去了解世界的确是很好的。但是，如果你准备踏上探索之旅，它就没什么用了。因为我们说过，如果把地球变成一个平面，势必要损失一些真实性。这张地图牺牲了角度的真实性，这意味着参照它，船只的航线就会被扭曲。

其实，墨卡托不是第一个发现这件事的人，不过，直到16世纪，这个问题才真正浮出水面——当时航海的工具、设备日益精良，欧洲的探险家们正跃跃欲试地带领船队驶向新的海洋。他们迫切需要一张对航海更有帮助的地图。

墨卡托画地图的方法可以简单地理解为，把一张想象中的纸卷成一个圆筒，竖直包裹在他想象中的地球上，这样，便只有赤道和纸卷直接接触了。然后，把一盏假想的灯放在地球的中心处，这盏灯就可以把地球表面的影子照射在纸筒内壁上，这时候，只要把投影描下来就可以了。

至于它为什么会失真，我们可以拿一张世界地图和一个地球仪来做个对比。在二维的地图上，经线始终垂直于赤道；在三维的地球仪上，经线虽然也垂直于赤道，但在两个极点却是相交的。地球仪上任意两条经线之间的水平距离，都是越靠近赤道越大，越靠近两极越小，在南北极点为零。所以，墨卡托投影可以大致还原靠近赤道的地区，但是，靠近两极的地区，就像被拉开的经线一样，也被拉大了，因此，靠近北极的格陵兰岛，才会看起来和非洲差不多大。

不过，墨卡托地图上的角度是正确的，使用者可以根据直角坐标系，轻松地计算出正确的方位数据。如果你按照经纬线前进，只要风和潮汐保持不变，就不必再修正航向了。此外，墨卡托还公布了一个简单的几何公式，海员们可以通过计算得到正确的方向，来修正地图上的距离失真。

据说，明朝传教士利玛窦绘制的《坤舆万国全图》也曾参考过墨卡托绘制的世界地图。这件国宝现在就珍藏在南京博物馆，有机会去南京旅行的话，你就可以一睹它的真容了。

今天，墨卡托投影仍然是世界上最常用的地图投影。如果你使用过手机的地图导航，那么，你可能已经在墨卡托投影的地图上绘制过属于自己的“线路图”了。

安全第一

发明自行车

自行车和平衡车相比，谁更快呢？

我和小表弟要比一比。

“预备，开始！”听到命令，表弟的小平衡车“嗖”地一下就蹿出去了。这次比赛我一定得比他快呀，要是输了，可就糗大了。

小朋友们，你们骑过平衡车吗？

这种没有脚踏板的车是不是很好玩儿？你可能不知道，世界上第一辆给大人骑的“自行车”，就跟给小朋友们骑的平衡车差不多，它的名字翻译成中文叫“跑步机”。

这辆“自行车”的大部分零件都是由木头做成的，它不仅没有脚踏板，还没有刹车。骑上这辆车，你必须先靠助跑来获得初始速度，然后抬起脚来让车子滑行，直到它快停下来的时候，再用同样的方法重新获得速度。

听起来是不是和平衡车有点儿像？

发明这辆“自行车”的人，是德国的一位爵士，叫德莱斯。他一辈子发明了很多稀奇古怪的东西，比如能记录16个词的早期速记机、有键盘的早期打字机、第一台绞肉机……据他说，设计这种“自行车”的灵感，主要是来自滑冰运动。

不过，就连德莱斯自己，对这个发明似乎也没什么信心。在试驾的时候，德莱斯千挑万选选出了一条特别平坦、特别好走的路，这段路位于两个驿站之间，相距7千米。据德莱斯说，骑上他的车，不到一小时就可以打个来回！

哇，这听上去不就是划时代的新发明吗！

别着急，德莱斯的“小聪明”可很容易被拆穿。如果你骑上他的车爬山，可就没这个速度了。这还不算什么，要是骑上它走下坡路，那场面一定惊心动魄，而且，一路下来，只能靠双脚摩擦地面来刹车的你，鞋底可就要被磨破了。

20年后，终于有人发明了有脚踏板的自行车，这种车就不用靠双脚驱动了。不过，这种车的座椅硬邦邦的。人们给它起了一个听着都觉得疼的名字——震骨车。骑上它，仿佛骨头都要被震得散架了。

再后来，有一位在缝纫机厂上班的工人发明了一款“普通自行车”。可是，这辆自行车跟“普通”二字根本扯不上关系，它的前轮至少有羽毛球球网那么高，而后轮的直径连前轮的一半都不到，今天，你只能在马戏团看到它的身影。

不过，这辆自行车有两个优点：第一，前边的大轮子可以让自行车前进得更快，所以，“普通自行车”也被人们当作赛车来用；第二，大轮子可以让骑车人在不平坦的路面上骑行得更加安全从容。

但是，想要骑好这辆自行车也不容易，骑车人得有极好的弹跳能力，反应也得快，这样才能在腾空跃起的同时骑动自行车，而且，“普通自行车”也是没有刹车的哟！下坡的时候，一不小心就会来个“倒栽葱”。所以，一定要谨记：下坡路上把腿挂到车把上，因为车的重心靠前，这样在被甩出去的时候，脑袋就不会先着地了。

可能是因为长得太滑稽了，有着一大一小两个轮子的“普通”自行车，在路上时常遭到人们各式各样的嘲弄，有人朝它扔石子，也有人将棍子插进车轮，故意绊倒骑车人。如果自行车一不小心超过了一辆马车，马车车夫通常会怒气冲冲地跳下来，一把揪下骑车人，狠狠抽上几鞭子。

好在这些激烈的反对行为并没有浇灭发明家们的热情。到 1884 年，至少有 200 多种自行车被设计出来，想要从中选购一辆可不是件容易的事呢。

时间到了 1885 年，英国人斯塔利发明了一种“安全

好累——
呼，呼——
加油！
哇呀！刹不住啦！
疼死我了！

嘿!

使劲!

啊!

哎哟——

自行车”——“罗孚”，这种车用到了现代自行车的所有元素：两个轮子几乎有着同样的尺寸，方向用倾斜的前叉直接控制，后轮通过链条驱动。

它很快就流行起来，不过骑起来还是硌屁股。后来，爱尔兰的兽医邓禄普根据自己多年的工作经验，从医治牛的胃胀气中得到启示，将自家花园用来浇水的橡胶管粘成了一个环形，打足气装在了自行车轮上，制成了世界上第一条充气轮胎。

充气轮胎使自行车不再“震骨”，从根本上提升了自行车的舒适性。自行车终于被人们毫无保留地接受了！

世界上第一辆汽车和第一位长途汽车司机

周末，我和爸爸妈妈一起去了汽车博物馆，这里真是太好玩儿了！

我了解了汽车的结构，还体验了模拟开车……要说我最喜欢的，还是那些老爷车，它们一个个都神气极了。不过，有一辆车，明明围着它转了好几圈，却怎么也看不出是一辆汽车，它难道不是三轮车吗？

爸爸笑了笑说：“你应该认识它呀，它就是世界上第一辆汽车，我们在书上读到过。”

“啊？这就是卡尔·本茨先生发明的第一辆汽车

吗？”

“对呀，而且你知道吗，世界上第一个开着它出远门的，可是位勇敢的女司机呢！”

“嗯？这一定又是个好玩儿的故事！”

没错，我们就来聊一聊这个故事吧。

“呼呼……呼呼……” 1888 年 8 月的一个清晨，卡尔·本茨还在家中呼呼大睡。

卡尔·本茨的夫人伯莎，一大早就把放假的两个儿子尤金和理查德从被窝里拉了起来，三个人悄悄地出了门……为了不让丈夫担心，伯莎还在厨房的桌子上留了一张纸条，上面写着：“我要带孩子们回娘家了。”

可这母子三人并没有像往常一样赶往火车站，而是急匆匆地去了工厂。他们小心翼翼地把本茨研制的汽

哈啊——
咦，孩子和老婆呢？

喵——

我的天哪！

车推出了车间，在离房子有一段安全距离的地方，启动了汽车。

他们这是准备干什么呢？

原来，本茨虽然是位很有天赋的工程师，但他却不怎么会做生意。他发明的汽车，一开始的亮相并不顺利。有一次，因为司机没控制好方向，一下子撞到了一堵墙上，这可把在场的观众吓坏了。作为一个完美主义者，本茨再也不敢邀请人们试驾了。他回到工厂，不断改进他的汽车，想着必须达到万无一失再展示它。

不过，伯莎可不这么想，她觉得应该尽可能多地宣传这款汽车。

毕竟当时研究汽车的可不止本茨一个人，不能让别人抢了先。于是，伯莎决定进行一次长途试驾以鼓励丈夫，并且向他证明，这车没问题，好得很。

试驾之前，伯莎心里已经有了一个目的地，那就是100千米以外的娘家。那天清晨，母子三人就这样出发了。直到本茨醒来，发现汽车不见了，才知道妻子和儿子们不是坐火车出门的。这可把他吓坏了，这辆车怎么可能走得了那么远？

果不其然，母子三人在路上还真是遇到了不少困难。

由于汽车没有油箱，化油器里只有4.5升汽油，很快便用完了，不过好在那时候的药店出售一种石油制品，可以代替汽油。

汽车的木质刹车片磨坏了，伯莎就请一位修鞋匠帮忙用皮革替换，这个举动也让她被认为是世界上第一个刹车片的设计者。一路上，伯莎既当司机，又当汽车修理工。她用帽子上的别针清理了堵塞的燃料管，还用吊带袜修好了点火装置。

最后，三名旅行者终于在黄昏时分到达了伯莎的娘家，他们在不到12个小时里开了100多千米。到家之后，伯莎给本茨发了一份电报，告知他母子三人已平安抵达。不过，本茨早就在报纸上看到夫人的壮举了——一个女司机，开着一辆没有马的车，无论到哪儿都拥有百分之百的回头率。

在娘家住了几天之后，伯莎又开着车回来了，一来一回，她总共开了200多千米。她的旅行引发了铺天盖地的报道，这对夫妇很快就收到了订单。在接下来的10年里，本茨的公司成为全球最大的汽车公司，他拥有

看呀！咱们也买一台这样的车吧！
不用马拉的车！天哪！
女士，真棒！

400多名全职员工，靠工人们叮叮当当地手工打造，一年可以销售近600辆汽车。

这位了不起的女性“不止发动了一辆汽车，还发动了汽车工业”。如果没有伯莎的信念、勇气和坚持，很难想象卡尔·本茨能够有如此了不起的成就。

由于所处时代的限制，伯莎从未受过教育，但是，却没有谁能够阻止她实现自己的梦想。她活了95岁，在她95岁生日的那天，卡尔斯鲁厄技术大学宣布授予她荣誉理事的称号。

交通信号灯的发明

“红灯停，绿灯行，黄灯亮起等一等。”走到十字路口的时候，如果红灯亮着一定要停下来，等到绿灯亮起，才能通过。

这是每个小朋友都知道的道路交通规则。

可是，为什么路口要安装交通信号灯呢？

交通信号灯究竟是谁发明的呢？

如果你也曾经对这些问题感到好奇，那就来读一读这个故事吧！

1913 年 3 月的一个夜晚，美国石油大亨乔治·哈博

刚刚参加完晚宴，他愉快地哼着歌儿，开着汽车回家。克利夫兰的欧几里得大道是他的必经之路，这条路也是这座城市中相当繁忙的街道之一，挤满了汽车、马车、自行车、手推车和行人，所有人都认为自己应该先通过，哈博也一样。当他行驶到十字路口中间的时候，事故发生了——一辆有轨电车直直地横穿过来，撞上了他的汽车。

幸运的是，车上所有的乘客都死里逃生。

不过，并非每一起交通事故中的人都能幸免于难。仅 1913 年一年，美国就有 4 000 多人死于车祸。同年，福特 T 型车出现了，这是一种既结实又便宜的汽车，一年有 200 万辆投向市场，它们很快就穿梭于大街小巷。

但是，当时的道路是为走马车设计的，而不是为时

嘀嘀
我要过去，你们让开！
还给我香肠！你这坏狗狗！
嘀嘀
为什么让我停车？！
站在马路中间干什么？我要先走！
你们都小点儿声，我的宝宝在睡觉呢！
为什么停车？！
嘀嘀
那些开汽车的疯子！

速几十千米的汽车设计的。所以，当这些时髦的汽车通通挤在一个十字路口争着通行时，场面十分混乱，常常会发生碰撞。警察站在十字路口的中央，拼命地吹着口哨，挥舞着手臂，但是，“骄傲”的司机们才不管这一套，照样自顾自地行驶。

这时候的道路，急需交通信号灯。

其实早在1868年，世界上第一个交通信号灯就被发明出来了，它被安装在伦敦议会大厦外。这种交通信号灯有点儿像当时的铁路信号装置，它由三根信号杆和红绿两色旋转式方形玻璃提灯组成。在白天，信号杆举起的时候，表示“停止”；信号杆放下的时候，表示“小心行驶”。到了晚上，光线变差，信号杆看不到了，红色和绿色的灯就派上了用场，红色表示“停止”，绿色表示“小心行驶”。它是手动操作的，在灯的旁边，有一名手持长杆的警察根据车辆的数量牵动皮带来控制信号灯。

不过这种新事物遭到了伦敦人的嘲讽，著名的讽刺杂志《笨拙》就将这个交通信号灯形容为一个可怕的幽灵，透过伦敦的大雾，在朝着过往的车辆微笑……这个煤气交通信号灯在面世 20 多天后就发生了可怕的爆炸，当日值勤的警察在这场事故中失去了生命，因此，交通信号灯被取缔了。

直到 1914 年，美国克利夫兰的一位名叫詹姆斯·霍格的工程师设计出电力交通信号灯，它才真正被广泛使用。霍格参照铁道上长期使用的红色和绿色信号灯，利用电车线路的电力，创建了第一个市政交通控制系统。到 1930 年，美国所有主要城市和许多小城镇都至少有

别人都睡了，我还得守着这个讨厌的家伙！

了一个电力交通信号灯，没多久，这一创新就在世界范围内传播开来。

十字路口的小小装置挽救了无数人的生命，从它被装在美国克利夫兰路口的第一年开始，不到二十年时间，美国的机动车事故死亡率下降了一半以上。可以说，是交通信号灯塑造了我们的城市和道路交通，让我们对汽车的喜爱得以延续。

之后的故事，小朋友们就都知道了，交通信号灯已经成为我们生活中非常重要的一部分。它甚至出现在了交通之外的领域内，比如，在学校里，小朋友们会用红绿抽认卡，来学习行为规范；足球场上，裁判用红牌和黄牌来警告或者惩戒违反足球规则的行为……

不过，随着无人驾驶汽车的出现，在未来，交通信号灯说不定会退出我们的生活，而这不仅会改变我们的出行方式，还将极大地改变现在人们遵守的交通习惯和交通规定。

现在，科学家们已经在着手设计“自动十字路口”，到时将通过车联网来调整、优化车流量。到那个时候，不知道人们还会不会记得交通信号灯。

谁发明了斑马线？

在读文章之前，我们先来猜个谜：什么东西每天踩在脚下，保护着你的安全，你却感觉不到？

答案就是——斑马线，也叫人行横道线。

小朋友们每天在上学的路上可能都会穿行斑马线，但是，你有没有想过为什么斑马线看起来是这个样子呢？为什么它们是多条相互平行的白实线组成的条纹，而不是其他颜色或图案呢？

这个故事要从大概100多年前说起。那时候，世界上最繁华的城市街道看起来与今天的大都市截然不同，既没有斑马线，也没有交通信号灯，只是一个供行人、马车、电车通行，小贩推手推车做生意和孩子随意玩耍的地方。行人在街上想走就走，想停就停。

但是，随着汽车的增多，汽车交通事故中死亡人数急剧上升。死者大多是行人而不是司机，在街上行走的老人和玩耍的孩子发生事故的概率尤其高。

因此汽车很不受待见，被认为是“轻浮的玩物和暴力的入侵者”。对于这些交通事故，人们十分愤怒，媒体记者也总是跟着帮腔，常常刊登妖魔化汽车的漫画，还经常把汽车与死神联系在一起。

为了保障出行安全，交通领域的专业人士开始想办法改造道路。

在大约 90 年前，英国的一些道路上出现了一些醒

救命啊！

目的大铁钉，用来标记行人穿越街道的线路。如果你正在过马路，这些标记会很清晰地出现在你的面前，但是，从司机的角度来看，这些标记就没那么清楚了。

除了大铁钉，人行横道的两侧还安装了交通指示柱。这些交通指示柱有一个好听的名字，叫“贝里沙信标”，取自英国当时的交通部部长的名字。不过，这些指示柱一投入使用就显得很狼狈：它那黄色的玻璃灯罩深受孩子们的“喜爱”，总有些小淘气包儿热情地将石头砸向它们……直到玻璃灯罩被塑料灯罩取代，情况才有所好转。

总的来说，这两个方案对司机的提示效果都不明显，路遇行人的司机们没有足够的时间把车速降下来，人们迫切需要一个更明显的标记。

人行横道是在这种背景下诞生的。

大约 80 年前，英国人在 1 000 条街道上进行了不同路标的安全性试验。在所有的试验中，有一种方法脱颖而出，那就是我们今天所熟悉的平行白实线条纹。这些条纹在深色的路面上非常醒目，远远地就能看到，不仅可以让司机有足够的时间减速，走在条纹路面上的行人也被衬托得更加显眼。

1951 年，人行横道正式出现在英国的斯劳。不过，想要让行人穿越马路的时候都乖乖地走人行横道，也不是一朝一夕的事情。当时著名的讽刺杂志《笨拙》甚至用夸张的漫画规劝人们要走人行横道。漫画里不走人行横道的人，将被罚款 40 先令，判刑 15 年，还要做苦工。

那么，第一个将白实线条纹的人行横道跟非洲大草原上优雅的斑马联系起来的人是谁呢？那是一位叫卡拉汉的英国国会议员，他在观摩了交叉路口的交通安全试验后，感觉深色路面和白色条纹组合在一起，看起来像满身条纹的斑马。可能是因为过于形象，“斑马线”这个名字就被叫响了。后来，卡拉汉成了英国的首相。

事实上，斑马并不是唯一出现在十字路口的“动物”，还有鹈鹕、海雀、巨嘴鸟、熊猫、鹰和鲨鱼……

比如，在英国，“鹈鹕线”是类似于我国城市里行人自助手按交通信号灯的路口；美国有一种“鲨牙线”，是一串白色的三角形，排列起来像是鲨鱼的牙齿，其作用是提示过往车辆减速慢行。近些年，英国还出现了“海鹦线”，这是一种智能人行横道，其感应装置可以探测

您先过。
谢谢！

到行人是否已经顺利通过街道，如果路上还有行人，车辆行驶的方向会继续保持红灯，这个设计对于行动不便的老人来说非常实用。

在我们可以想见的未来，街道会变得越来越智能，车辆无需空等，行人也不需抢过，伤亡越来越少……不过，无论如何，过马路的时候，你都要注意安全呀！

安全带和史上最疯狂的试验

“咔嗒……”

“安全带系好了，准备出发！”

坐上汽车的第一件事就是要系好安全带。

坐在以每小时100千米的速度行驶在高速公路上的汽车里的你，可能无法想象，在一个多世纪以前没有安全带的时代，乘坐汽车有多么可怕——尽管车速很慢，乘客和司机还是时不时地被甩出车外。1869年，在爱尔兰，玛丽·沃德乘坐一辆蒸汽车，在车辆转弯的时候被甩了出去，当场殒命。这是世界上第一起由机动车

为什么
不系安全
带?
还没有发明
出来呢……

交通意外造成的死亡事件。

1899年，在英国，埃德温·休厄尔和梅杰·里奇驾驶一辆汽车行驶到伦敦的哈罗山区，后车轮故障导致二人双双被甩出了车外。

尽管安全带早就被发明出来了，但是，直到20世纪50年代，司机们还是固执地不肯系上安全带。而且，当时的汽车生产商也不太在意安全问题，他们普遍很反感科研人员，认为这些人做了几个碰撞试验就来指手画脚，说什么安全带能够提高司机在车祸中生还的概率……汽车行业甚至有一句口号，叫："我们不售卖安全。"

直到1954年，有个人用自己的身体完成了一项疯狂的试验，这种情况才有了转机。他的名字叫约翰·保罗·斯塔普，是第二次世界大战期间美国空军的一位军医。

1954年12月10日，在美国新墨西哥州的霍洛曼空军基地，一辆火箭滑车[①]释放了巨大的推力，在几秒钟内将斯塔普推出了近1 000米。试验中，它运行的速度接近280米/秒，比某些手枪子弹出膛时的速度还快。之后，火箭滑车又以同样的速度，在1.4秒内停了下来。这种速度的变化让斯塔普承受了46.2g的力（1g的力相当于地球重力，46.2g相当于一辆4吨的厢式货车落到了身上）。结果，斯塔普两眼一黑，短暂地双目失明了。

斯塔普这是要干什么，难道他疯了吗？

1910年，斯塔普出生在一个传教士家庭。他是一个标准的学霸，在美国得克萨斯州韦科的贝勒大学获得动物学硕士学位之后，又在得克萨斯大学和明尼苏达

①火箭滑车，是以火箭发动机为动力，在专用滑轨上运行的地面动态试验的运载器。它就像卧在铁轨上的火箭，可以进行高速试验，用来测试航空设备、武器等。

大学分别获得了生物物理学博士学位和医学博士学位。不过说起来，他的确不是个循规蹈矩的人，因为家境不是很宽裕，斯塔普时常吃一些实验室的标本解馋，比如，用实验室的烤箱烤个豚鼠什么的，而且，他坚持认为那东西非常美味。毕业之后，斯塔普加入美国陆军航空队，从事航空医学方面的研究。

斯塔普和小伙伴在这次疯狂的试验之前，已经进行了28次类似的试验。当时的科学家认为，18g的力也许是人体所能承受的极限，但是谁也说不准。于是，斯塔普就当起了“小白鼠”，目的是了解人体对加速、减速的反应和承受极限，为强化飞行员的安全保障提供基础研究数据。不过，当斯塔普被送到医院时，他意识到，是绑在火箭滑车上的安全带挽救了他的生命。没过多久，他的视力恢复了，身体也没有遭到持久性的伤害。此后，斯塔普把目光转向了汽车行业。1955 年，他邀请了美国汽车工程师协会的专家来研究他的火箭滑车试验，终结了关于“安全带是否能拯救生命”的争论。此外，他还将汽车工程师、创伤外科医生和其他专家聚集在一起，每年开一次大会，专门研究车祸致使人员伤亡的原因。

对汽车司机来说，斯塔普的研究带来了加厚的仪表盘和更好的保险杠，并且为强制使用安全带铺平了道路。1966 年，当时的美国总统林登·约翰逊在白宫签署了一项新法规，要求在美国销售的所有新车都装上安全带。正是斯塔普推动了这一法规的颁布，当时，他就站在总统的身边，见证了这个历史时刻。

OK.

OK.

OK.

OK.

小贴士：

斯塔普有个小助手叫爱德华·墨菲，在试验中，他负责设备安装和调试。有一次，他把安全带装错了，导致斯塔普双眼充血。当斯塔普摇摇晃晃地从火箭滑车上走下来时，16个传感器居然没有进行任何记录。于是，墨菲得出了一个结论：“任何有可能出错的事情，就一定会出错。”后来，这句话流传下来，成了有名的“墨菲定律”。

乘车安全，多亏了假人和……尸体？！

安全带对乘车安全至关重要。但是，如果你认为只有安全带才能保护你的安全，那就大错特错了。

大约 60 年前，那时候如果发生一场车祸，汽车上的很多零部件都可能成为“夺命杀手”。比如，有的司机被方向盘杀死，有的司机被边角锋利的仪表盘刺伤，有的司机被挡风玻璃剐伤……

今天，得益于带衬垫的仪表盘、防碎的后视镜，以及在紧急情况下可以变形的方向盘的发明，车祸中的幸存者才越来越多。

咳咳，为此，我们要郑重地感谢不计其数的假人、动物、志愿者和……尸体。

什么？尸体？对，你没有看错。尸体没有知觉，不怕疼，但是，却可以如实地将人体每个部分能够承受的力的极限“报告”给研究人员。20世纪60年代，美国韦恩州立大学的劳伦斯·帕特里克教授和他的小伙伴们“邀请”尸体参与撞头、碎膝、顶胸等碰撞试验，以评估交通事故可能对人体造成的损伤情况。

一开始，试验是在研究人员中进行的，帕特里克就曾在自己身上做过几百次试验。他们获得的数据，如1960年发布的“韦恩州立大学耐限曲线”曾被广泛用于制定头部损伤标准。时至今日，汽车公司仍然在使用这些数据来改进设计，提升汽车的安全性能。

读到这里，你可能会问，为什么不用假人呢？

的确，大多数的碰撞试验都是由假人完成的。它们经过精密的设计，装满了不同功能的传感器来收集数据资料。例如：测量加速度的传感器被装在假人的头部，用于测试多个方向的加速度；测量位移的传感器被装在假人的胸部，可以测试出撞车时胸部被挤压变形的程度；测量载荷的传感器可以用来测试撞车时，身体不同部位受力的大小……

不过，仅有假人是不够的。如果没有尸体、动物、志愿者的试验数据，假人只能“告诉”研究人员在发生碰撞的时候，胳膊、腿、胸等各个部位的受力情况，却无法解答这样的力如果真的砸在人身上，人体是不是能够承受得了。比如，在一次碰撞中，假人驾驶员的胸部被压缩了约46毫米，这意味着什么呢？根据尸体试验数据，研究人员可以知道，这种伤会很疼，但可能不会致命。然后，他们就能根据试验结果优化车辆设计。

当然，这些用于试验的尸体都来自自愿捐赠，接受捐赠的科研机构必须将其用途明确地告知死者的亲属。这些人活着的时候，应该十分相信科学，而且把挽救更多的生命看得比自己还要重要。在试验过程中，他们也应当，并且确实得到了极大的尊重——尸体会被完全包裹起来，以保持匿名和尊严，所有的研究人员都签署了一份会尊重尸体的承诺书。

1995年，韦恩州立大学的教授阿尔伯特·金博士计算出：自1987年以来，尸体研究每年可以挽救8 000多人的生命。

感谢假人先生和尸体先生为我们的乘车安全做出的卓越贡献!

即使到了现在，在韦恩州立大学，每年还是会通过几项尸体试验，来修正和完善假人。更积极的一面是，随着科技的发展，关于汽车安全的研究更多地转向了减少和避免碰撞。比如自动刹车技术，是用传感器来探测车辆，在即将发生车辆碰撞时，发出视觉或听觉警报。如果司机没来得及踩下刹车踏板，汽车就会自动刹车。再比如车道偏离预警技术，是用一个前向摄像头识别道路上的车道线，如果注意到你乘坐的车辆在没有打转向灯的情况下向一边移动，它就会向司机发出警报。

也许在未来的某一天，我们将拥有更智能的汽车、道路和交通装置，人们出行也会更安全。但是，那些用自己的身体做试验的科学家和选择在死后捐献遗体的人们，拯救了无数的生命，应该被我们铭记。

马力全开

铁路进入中国的故事

“呜——”

“这火车可真快！”

“对呀，这是‘复兴号’高铁列车，每小时能行驶300多千米呢。”

“妈妈小时候坐的火车，每小时只能行驶50千米。”

“那是我们中国最早的火车吗？”

“哈哈，当然不是，中国最早的火车出现在100年以前。”

接下来，我们就讲讲铁路是怎么进入中国的吧。

那是在1865年，英国商人杜兰德在北京宣武门外，沿着护城河修建了一段只有500米长的展览铁路，机车在轨道上行驶。好家伙，这可把清政府吓坏了，满朝官员都说这是妖术。结果没多久，中国历史上第一段铁路就被勒令拆除了。

无独有偶，10年之后，英国怡和洋行在上海修了一段吴淞铁路，全长14.5千米，在清政府花了28.5万两白银把这条铁路买下来之后不久，它也被拆除了。

几乎与此同时，却有30个中国的小朋友坐上了美国的火车，行驶在刚刚贯通3年的太平洋铁路上，火车拉响汽笛，驶过山谷、森林、草原……

这些孩子穿着长袍马褂，戴着瓜皮小帽，脑袋后边还拖着一条长长的发辫。那时候，世界上还没有电灯，没有汽车，孩子们也从来没见过火车，更别提坐在里面了。他们对这个行驶在两条细细的铁轨上，跑得飞快的大家伙充满了好奇，左摸摸，右看看，还时不时把头探出车窗外。

这些孩子便是清政府精挑细选出的聪颖幼童，也是我国历史上第一批官派留学生。他们中有一个男孩，在5年后考入耶鲁大学，学习土木工程和铁路建筑，32年后，他主持修建了闻名遐迩的京张铁路，他就是詹天佑——中国最有名的铁路工程专家。

在詹天佑学成回国的第一年，中国有了第一条营运的铁路——唐胥铁路！

不过，和几十年前一样，清政府依然不允许机车在铁轨上运行，说是对地里的庄稼不好，于是规定，新建

累死我了！谁出的馊主意！气死我了！
大马！加油！加油！

成的铁路上不得行驶机车，只能用马拉着列车运煤。在洋务大臣李鸿章的斡旋之下，机车得以正常运行。虽然过程一波三折，但唐胥铁路的通车，让中国结束了没有铁路的历史。

1888 年，伍廷芳出任津榆铁路总办，任命詹天佑为工程师。詹天佑才得以施展自己的专长。

1892 年，詹天佑被派去修建滦河铁路大桥。当时，总工程师英国人金达遇到了难题：在他选定的位置上给大桥打桩（就是将石桩砸进地里，目的是使大桥更坚固），却怎么也不成功。最后，金达想到了詹天佑，便把这位年轻的中国工程师叫来了。

詹天佑仔细勘查后，重新选择了打桩的位置。随后，他雇用了几个游泳特别好的“水鬼”，探测水底的情况，

又做了一个超大号混凝土箱子——沉箱矗立在河中。沉箱底部是一个“工作间”，通过调节气压可以控制沉箱的升降和不让水渗入。工人们就在这个“工作间”里一边挖出土石，一边灌注混凝土建筑地基。没过多久，桥墩就建好了，詹天佑成功了！

之后，詹天佑又主持修建了京张铁路。他仔细勘测了从北京到张家口的全线。那时候没有汽车，詹天佑和他的助手们就骑着小毛驴四处奔波，山路崎岖难行，他们每天只能走几里路。

这还不是最困难的，最困难的是，起点和终点之间的地形太复杂，很难修建铁路。

首先，要开凿四条隧道。这在当时不仅危险重重，而且对技术的要求也很高。詹天佑很聪明，对于不同的山体状况，他总能想出最优的方案：有的从两边往中间开凿，有的选最窄的地方开凿，有的干脆绕过去……最艰难的八达岭隧道有1 000多米长，如果采取从两边往中间开凿的办法很容易打歪，詹天佑便想出了从山岭上往下打井，再从井底向两头开凿的方法。最终，1 000多米长的隧道安全地贯通了！

还有，从南口到八达岭岔道城的关沟这段路，地势陡，坡度大，火车爬不上去。对此，詹天佑设计了一个“人”字形铁路，解决了这个难题。现在，我们从北京延庆到西直门乘坐S2线动车，依然会经过詹天佑设计的这段铁路。这里还有个青龙桥火车站，它是当年京张铁路的一个站点，还保持着百年前的样子。如果你对铁路感兴趣，一定要去看一看。

詹天佑

世界上第一条地铁

小朋友，你读过“帕丁顿熊”的故事吗？

在英国伦敦市中心的一座车站里，布朗先生一家发现了一只孤独的小熊。它在车站迷了路，脖子上还挂着一个小牌子，上面写着：“请照顾这只小熊，谢谢！”善良的布朗一家把它带回了家，并给它起了一个名字，叫“帕丁顿熊”。初来乍到的小熊惹了不少麻烦，但是，它善良而勇敢，最终赢得了大家的喜爱。

“帕丁顿”这个名字，就来自小熊被发现的车站——帕丁顿车站。

这是一座非常古老的火车站，已经有160多年的历史了。从1863年开始，帕丁顿站又成了一座地铁站，它是世界上最早的一条地铁——大都会地铁的终点站。

19世纪中叶的伦敦，是当时世界上最大最繁华的城市。但是，人口的涌入却让这座城市的交通长期处于瘫痪状态。

马车和行人不断地争抢有限的行驶空间。维持伦敦的公共交通正常运行需要5万匹马，据当时的一位作家称，这些马每天能产生约1 000吨马粪。同时，伦敦的人口从1800年的约100万直奔1851年的超过250万。马车、街边小贩、牛，以及日常上下班的人们……马路上秩序混乱，交通堵塞是每天都在发生的事。

为了解决交通问题，伦敦政府组织交通委员会向民众征求意见。有一位叫查尔斯·皮尔森的市政律师非常关心伦敦的交通问题，他提议在伦敦的城市中心建立“中央车站”，让火车从四面八方直达城市中心接送通勤的人们。不过，由于拆建规模和耗资巨大，这个方案很快就被回绝了。但是，皮尔森没有放弃，他又提出了把铁路挪到地下的想法，之后，便开始不停地游说。那时候，在城市的地底下打洞安装轨道，对于民众来说是不可想象的事情。大多数人都觉得这是胡闹，在酒吧里喝酒聊天儿的人，都在取笑这种荒诞的想法：这不就是让大把大把的钞票打水漂吗？

谁也没想到，皮尔森的想法居然得到了政府的支持，1854 年市议会通过了地铁修建法案，之后，他又千方百计为地铁建设筹集资金。1863 年 1 月 10 日，世界

上第一条地铁在伦敦运营，长达 6.5 千米。遗憾的是，皮尔森没能等到地铁建成的那一天，他在 1862 年的 11 月去世了。

地铁开通的这一天，3 万人参与了试乘，列车的每节车厢可以坐 10 个人，每个人都有单独的座位。和陆地上的火车不一样，为了消除乘客对地下黑暗的恐惧，地铁的车厢里加装了煤气灯。一路上，煤气都烧得很旺。但是，那时候的煤气灯可跟今天地铁里的电灯不一样，车一开起来，流动的空气就吹得灯里的火焰开始晃动，想看书还是很困难的。

这件事引起了轰动，当时的媒体赞叹道："有史以来，人们头一次可以在车厢中愉快并舒适地旅行——在煤气管道和自来水管道底下，甚至是在墓地底下。”

不过，这种热情很快就消退了。

那时候的地铁是用蒸汽引擎驱动的，这种以煤作为燃料的车，会冒出大量带有臭鸡蛋味道的有毒气体，使大量乘客感觉不适。在运营的第一天，一名搬运工被送进了医院，几名失去知觉的乘客被抬到了站台外……渐渐地，乘客的新鲜劲儿过了，对拥挤和臭气的抱怨开始增加。

有些报纸甚至建议把囚犯都发配进地铁里受罚。地铁运营方采取了一系列措施来减少烟雾排放，但收效不大，直到 1905 年，停止使用蒸汽火车才解决了这个问题。

在接下来的 20 年时间里，世界上有近十条地铁线

路陆续建成，布达佩斯、柏林、巴黎和纽约都建成了城市地铁线路。

今天，越来越多的城市利用地铁来缓解地上的交通堵塞。当我们坐着地铁准时到达目的地的时候，是不是应该感谢一下皮尔森的奇思妙想呢？

怎样才能飞起来?

“喳喳……”

头顶上，几只喜鹊飞过，发出了欢快的叫声。

你可能会不由得想：如果我们插上翅膀，可以像鸟儿一样飞吗?

很多人不仅想过，还试验过，但并没有成功。

这是为什么呢?

天空中飞翔的鸟儿都拥有非常轻的骨骼，而且，它们身材和体重的比例非常适合飞行。但是，我们人类就不一样了。科学家们计算过，以一个成年人的体重和

身高计算，至少得有一双张开有 6 米多长的翅膀才能飞起来。小朋友们可以想象一下，拖着那么大的翅膀，走起路来得有多困难呀！

可是在过去，人们可不知道这个道理，有很多人都设想或者尝试过插上翅膀飞行。比如，我国东周时期的墨翟，曾用了 3 年时间造木鸢；文艺复兴时期的大画家达·芬奇，也曾绘制过一架飞翼。

不过，最搞笑的可能就要数约翰·达明了。他是苏格兰国王詹姆斯四世手下的一位炼金术士。1507 年，达明将几根粘满鸡毛的支架绑在身上，就这样从城堡的垛子上飞了下去。自然，他是飞不起来的，不过好歹是滑翔到了城堡外面，最后落在了一个粪坑里。不过话说回来，若没有这个质地松软的粪坑，他可能就一命呜呼了。

我要怎样才能像鸟
儿一样展翅飞翔？
哈哈！你可
别费劲儿了！
这样能
飞？

读到这儿，小朋友们可千万别沮丧，虽然成为超人的梦想破灭了，但你可以成为一名飞行员，驾驶着飞机翱翔在天空中。

世界上最早发明飞机的人是美国的两兄弟——威尔伯·莱特和奥维尔·莱特。大多数人想到他俩，脑海中浮现的是成功的发明家形象。但是他俩小时候，可是两个十足的淘气包儿，甚至连高中都没毕业。有一回，兄弟俩在课堂上玩一个类似直升机的小玩具，被老师抓了个正着。结果，你猜奥维尔怎么说？

他说，他打算将来造一台大机器，大到可以载着他们飞上天……听了这话，老师都要笑掉大牙了。

长大之后，莱特兄弟一起经商，他们开过印刷厂，还做过自行车生意。不过，他们从未放弃对飞行的热爱。

我要发明飞上天空的飞行器。
又不好好听讲!

在有了两家成功的企业之后，兄弟俩便把时间花在兴趣上，尽可能多地阅读有关飞行的资料。不仅如此，他们还研究鸟类的飞行方式，并用模型来模仿。

兄弟俩把一个旧的风扇绑在一个不到 2 米长的木箱上，制作了一个风洞。利用这个风洞，他们测试了几百种翅膀设计方案，想看看哪种设计可以得到更大的上升力量。

1900 年至 1902 年间，莱特兄弟制造并测试了大量滑翔机，一架比一架飞得好。滑翔机没有发动机，依靠风驱动。兄弟俩便想，能否制造出不依靠风力驱动的飞行器呢？经过反复研究，他们在设计中加入了一个可移动的机尾、两个螺旋桨和一个汽油发动机等设备。

1903 年，莱特兄弟制造了第一架有动力的飞机——

“飞行者一号”。试飞这架飞机时，他们通过抛硬币的方式，决定谁当第一个飞行员。结果奥维尔赢了。威尔伯负责把飞机推下坡道，奥维尔操纵着飞机，升到空中。不过，这次试飞并不成功，飞机只向前飞了 3 米，便失速坠地。但兄弟俩并没有灰心，在经过几天的检修之后，“飞行者一号”再次起飞。因为奥维尔已经赢过一次，这一次由威尔伯操纵飞机，“飞行者一号”飞行了 37 米，在空中停留了 12 秒。当天最远的飞行距离是 260 米，在空中停留了 59 秒。

奥维尔和威尔伯欣喜若狂，他们的飞机真的可以飞了！

莱特兄弟完成了不可能完成的任务。然而，他们对“飞行者一号”并不满意，于是在接下来的两年里，先

后制造了“飞行者二号”和“飞行者三号”。1905 年 10 月 5 日，威尔伯在“飞行者三号”上创造了一项新的纪录——用 39 分钟飞行了约 39 千米。

1909 年，莱特兄弟成立了美国莱特公司，为美国军方制造飞机。

糟糕,要迟到了!怎么才能在最短的时间内赶到学校呢?

赶紧用手机软件叫个车吧!

仅仅几分钟,一辆飞行汽车降落在你家门前。你一脚跨上去,乘着飞行汽车,从早高峰拥堵的道路上空飞过,稳稳地降落在学校门口。美好的一天就这样开始了。

这个常常出现在科幻电影中的场景,可能会在不久的将来进入我们的现实生活——来自世界各地的多家公司,正在竞相研发小型商用飞行汽车。

几年前，我国的吉利汽车集团收购了一家叫特拉弗吉亚的公司，这家公司的总部在美国，由麻省理工学院5名优秀毕业生创办。他们研发了飞跃飞行汽车，这种车拥有四个轮子、一对可折叠机翼和一个后置推进器螺旋桨，可以容纳两名乘客。

飞行汽车既可以在路面上行驶，也可以在天空中飞翔——在路面行驶时，它跟普通汽车没什么区别，一样有刹车、油门和方向盘；在空中飞行时，使用的也是常规的驾驶杆、方向舵和脚踏板。从汽车变成飞机，只需要不到一分钟的时间。

如果在空中飞行，飞行汽车可在约2 700米高空中以每小时160千米的速度飞行4个小时，最远飞行距离为640多千米，接近北京到郑州的直线距离。现在，尽管它还迟迟没有上市，却已经在全世界博取了眼球。当然，想要驾驶飞行汽车，也不是件容易的事，必须要有飞行驾驶执照，而且，它只能在机场起飞和降落。

除此之外，还有很多人认为，飞行出租车可能有更好的前景，因为上班下班、上学放学堵在路上几个小时，太令人烦躁了。而且有专家称，能实现自动驾驶的飞行出租车，将比汽车更安全。据说，阿拉伯联合酋长国的首都迪拜可能会成为世界上第一个可以打飞行出租车的城市。顺利的话，生活在这里的人们将在未来几年内，实现乘坐飞行出租车上下班的梦想。迪拜的飞行出租车是我国自主研制的“亿航 184”，这也是全球第一款可载客的无人驾驶飞行器，它使用电池续航，充一次电可以飞行 30 分钟，时速可达 100 千米。

其实，想解决堵车的问题，也不一定非得让汽车飞起来，换个思路，你自己飞到学校，是不是也可行呢？

在1984年洛杉矶奥运会的开幕式上，当田径运动员拉斐尔·詹森点燃永恒之火的时候，一名绑着喷气背包的男子从满是彩带和气球的空中，优雅地降落在跑道上，降落在全球25亿电视观众面前。所有人都振奋了，就连著名的科幻作家艾萨克·阿西莫夫也曾满怀信心地预言：到世纪之交，喷气背包将“像自行车一样普遍”。

尽管这个预言还没有成真，但是，有很多公司正在研发可以商用的喷气背包，如果有一天能找到一种便宜又高效的燃料，只需背包大小的量就能支撑长途飞行，那么，喷气背包就真的能投入使用了。

当然，除了技术上的支持以外，无论是飞行汽车，飞行出租车，还是喷气背包，在被批准使用之前，有关部门还需要制定空中交通规则，以避免低空飞行中的车辆碰撞。城市也需要开辟新的空间，容纳小型飞行设备起飞和着陆。

也许，这一天已经不远了。

喂，小心飞行！
我再也不会迟到啦！